清康熙十八年本

芥子園畫譜

第一集卷三　金陵沈心友刊

画石起手當分三面法

觀人者必曰氣骨石乃天地之骨也而氣亦寓焉故謂之曰雲根以見無氣之石則爲頑石猶之無氣之骨。則爲朽骨。豈有朽骨而可施于騷人韻士筆下乎。是畫無氣之石固不可而畫有氣之石。即覓氣于無可捉摹之中。尤難乎其難非胸中煉有媧皇指上立有顛米。未可從事而吾今以爲無難也。蓋石有三面三面者即石之凹深凸淺參合陰陽步伍高下。稱量厚薄。以及攀頭替面負土胎泉此雖石之勢也。熟此而氣亦隨勢以生矣。秘法無多。請以一字金針相告曰活。

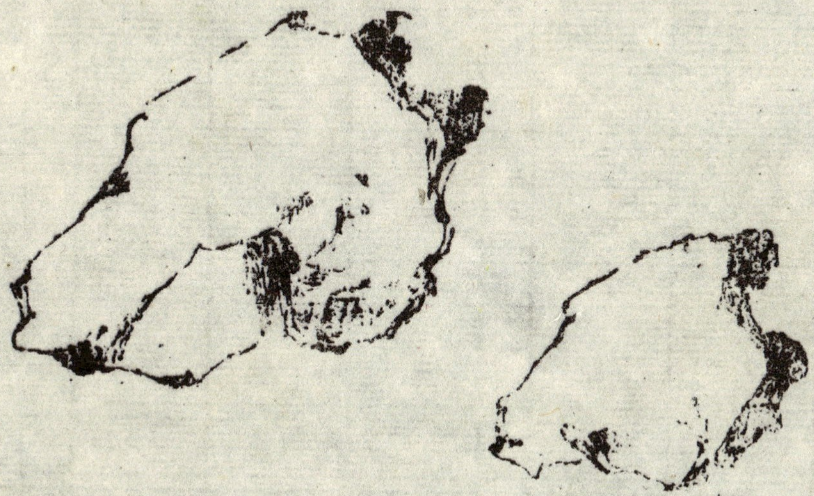

画石下筆法及層壘取勢法

余所謂一字金針曰活者尤須于三面未分。一筆初下具有磊落雄壯氣概一筆須有數頓使之矯若遊龍。先用淡墨勾匡再以醲墨破之。石廓如左既勾濃則右宜稍淡以分陰陽向背。千石萬石。不外參伍其法。參伍中又有小間大。大間小之別畫成依廓加皴漸有游刃雖諸家皴法不一。石體因地而施即于一家之中尺幅之內或弁于山。或帶于水甚夥其形總不外此一二法則他無論即米山乃全是墨點暈成。不須勾廓者。然于不勾之中亦未嘗不具此法于層層烘染處逼出甚森嚴也。

聚四

聚二

聚五

聚三

畫石大間小小間大二法

樹有穿插石亦有穿插樹之穿插在枝柯石之穿插更在血脉大小相間有如置碁穿插是也。近水則稱子千峰而抱母環山則老臂獨出而領孫是有血脉存焉。

王思善曰。畫石之法。先從淡起。可改可救。漸用濃墨爲上。又云。畫石之妙。用滕黄浸入墨筆。自然色潤。不可多。多則滯筆。間用螺青入墨亦妙。

小間大法

大間小法

畫石間坡法

子久雲林。畫石多間土坡。望而可施坐臥。水邊竹下。正宜留此以待幽人。非一味蠻山蠻石。使人畏心生也。

北苑巨然石法

此披麻皴也北苑巨然及松雪大痴仲圭皆画之中有正開石面如鼻隼然號日石隼子久尤喜爲此。

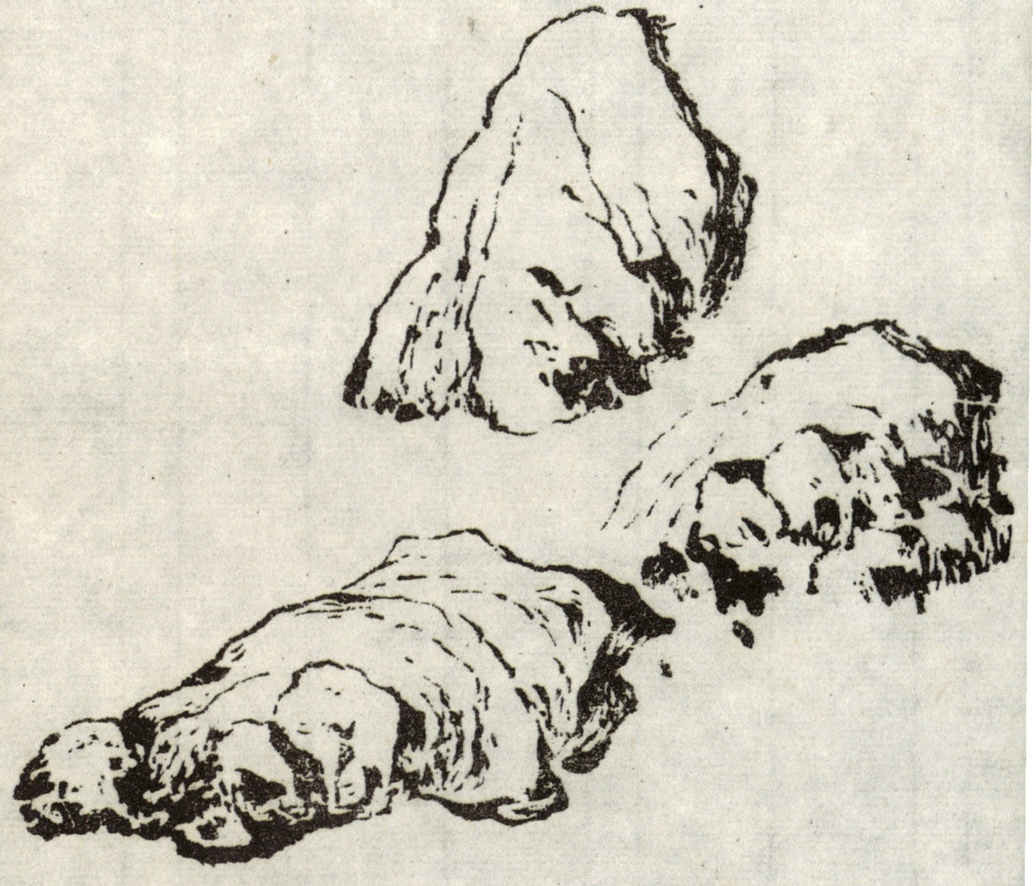

雲林石法

雲林石倣關仝然全用正鋒倪多側筆乃更秀潤所謂師法捨短也。

吳仲圭石法

仲圭披麻皴最爲純熟且於熟處用生爲他家所不及

王叔明石法

此披麻帶解索皴也。獨黃雀山樵画之。山樵爲松雪甥。画乃追踪松雪而石有出藍之譽。

黃子久石法

子久常熟人。有謂其画多作虞山石。層層點蕩者。如王宰蜀產。多画蜀中山水玲瓏窳窆巉嵯巧峭各因所見。其語良是。玻子久寔本石法于荆關而自爲減塑。筆如畫沙。益見高簡

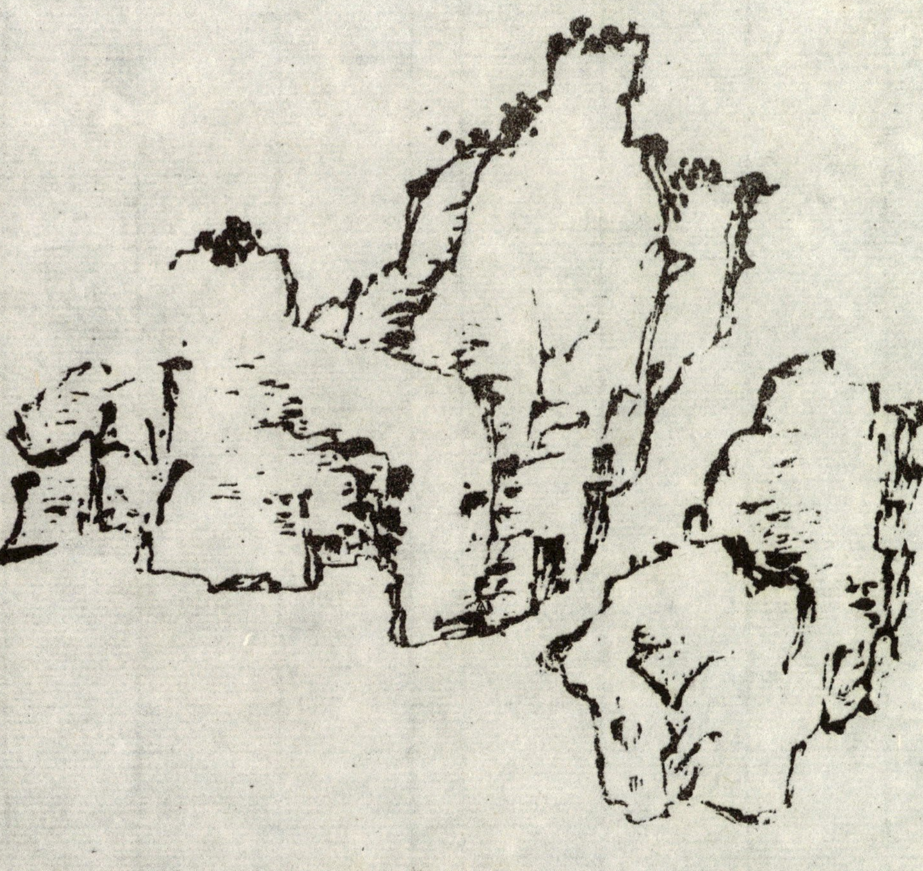

二米石法

此米點而微間之麻皴也。元暉父子。于高山茂林中。時一置之層層點染。以烟潤爲主。雖不露石法稜角。然視其軀廓下手處寔披麻也。

諸家皴石詳辨

四大家石。及各種皴。余既約畧言之矣。然法有專兼皴分工拙。既引升堂。更當入室。若王右丞之石如飛白。郭河陽之石似雲頭。董北苑之石形娟秀意在江南。李思訓之石湧波濤神飛海外。有諸家共習此一皴者。有一家能擅此衆長者。有一家本不習此皴法。而于機法神熟中流出無心遇肖者。難爲刻舟之見。今將諸家細皴石法。一二聯舉。以待神而明之存乎其人。如此一則。山皴法猶有未盡。當于後則画山頭中補見之。

王叔明皴法

芥子園畫譜 卷三 二二

黄子久皴法

范寬夏圭皴法

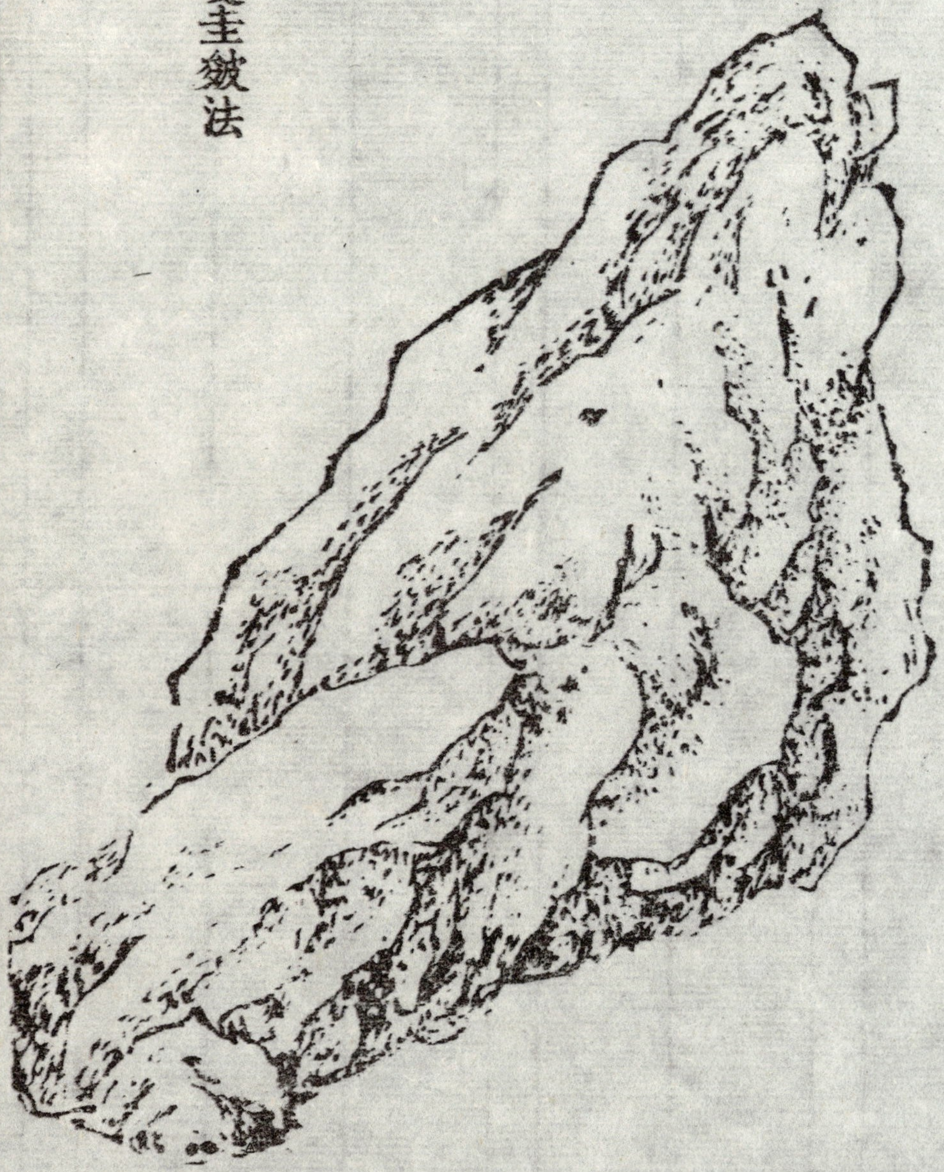

荆浩關仝皴法

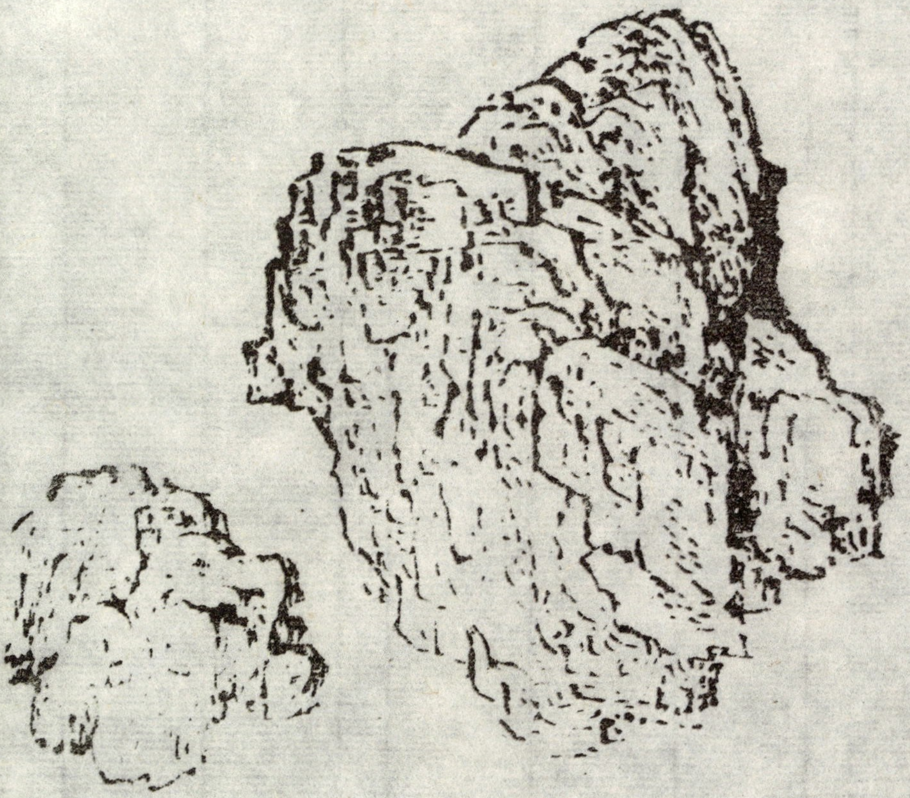

芥子園畫譜 卷三

馬遠皴法

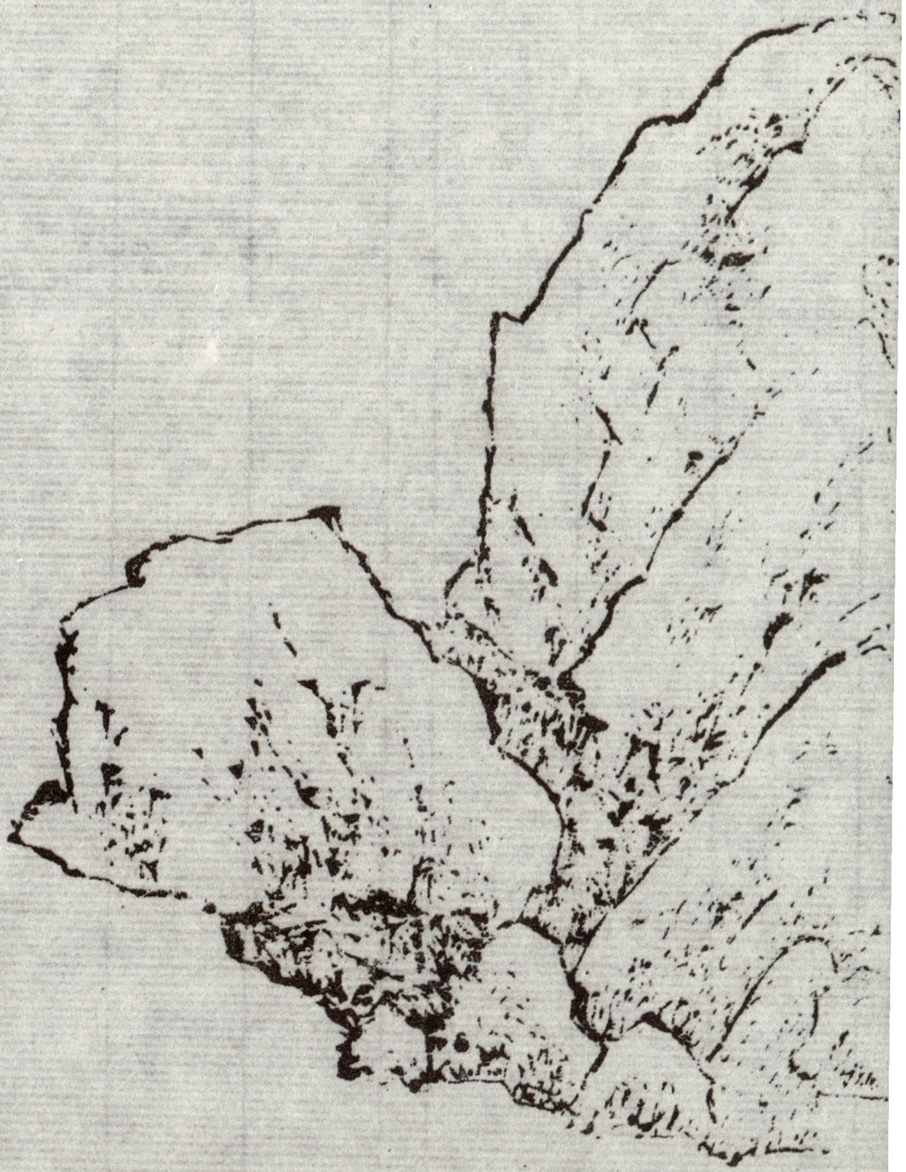

劉松年皴法

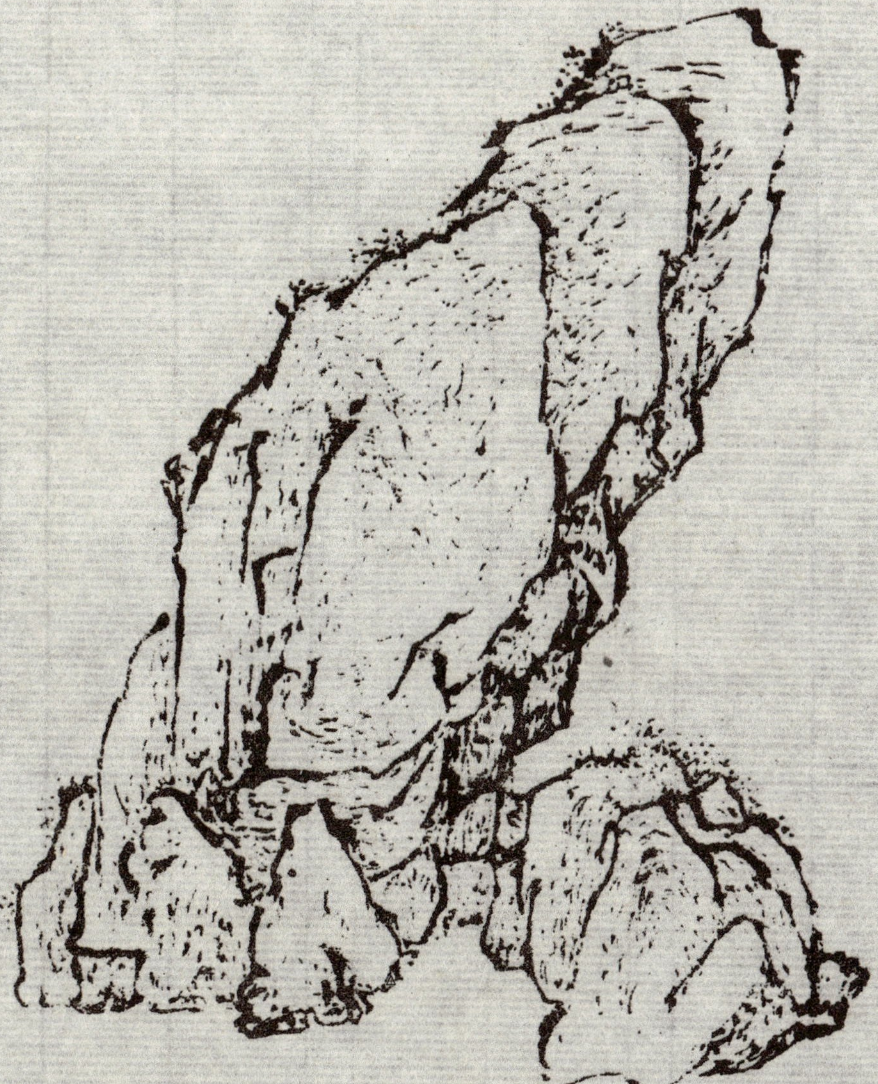

徐熙皴法

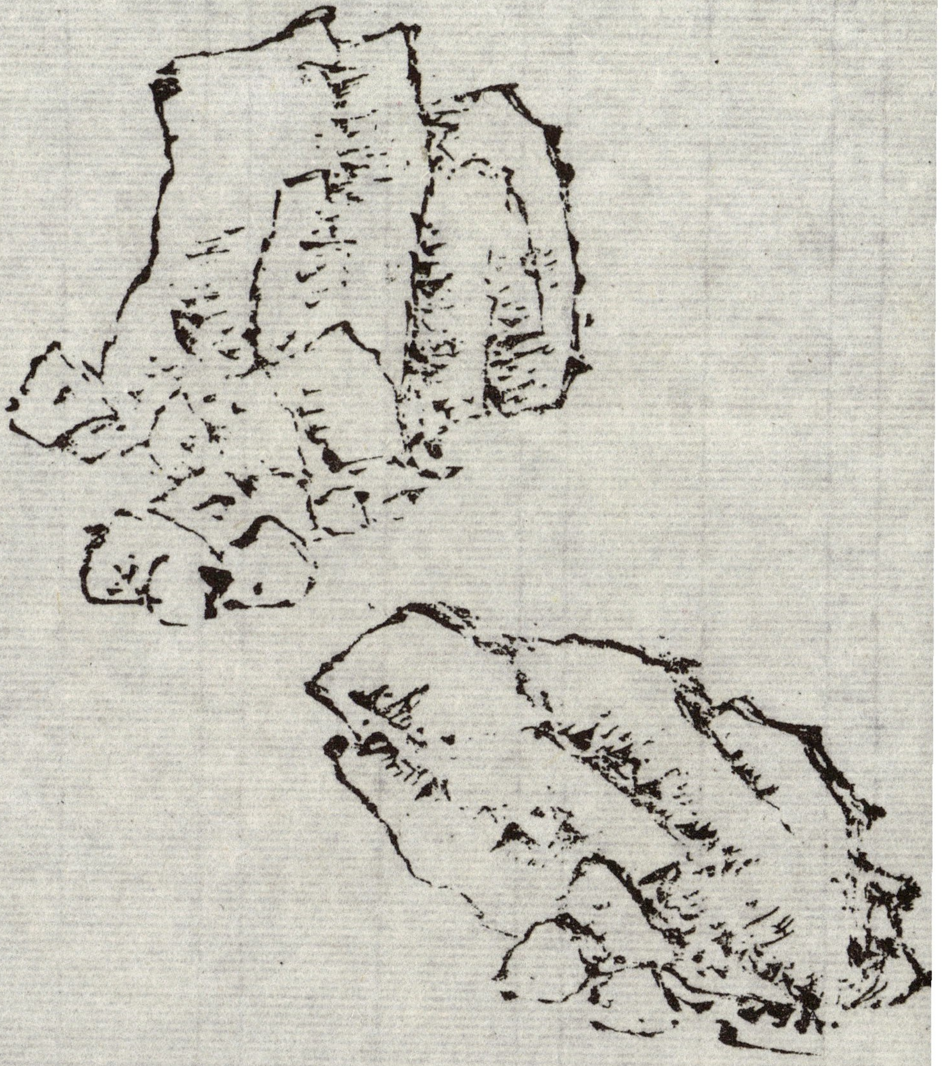

解索皴法
范寬常爲之

大斧劈法
馬遠夏圭多画之

亂柴亂麻二石法
元人多用之

芥子園畫譜 卷三

披麻間斧劈法
王維每用之

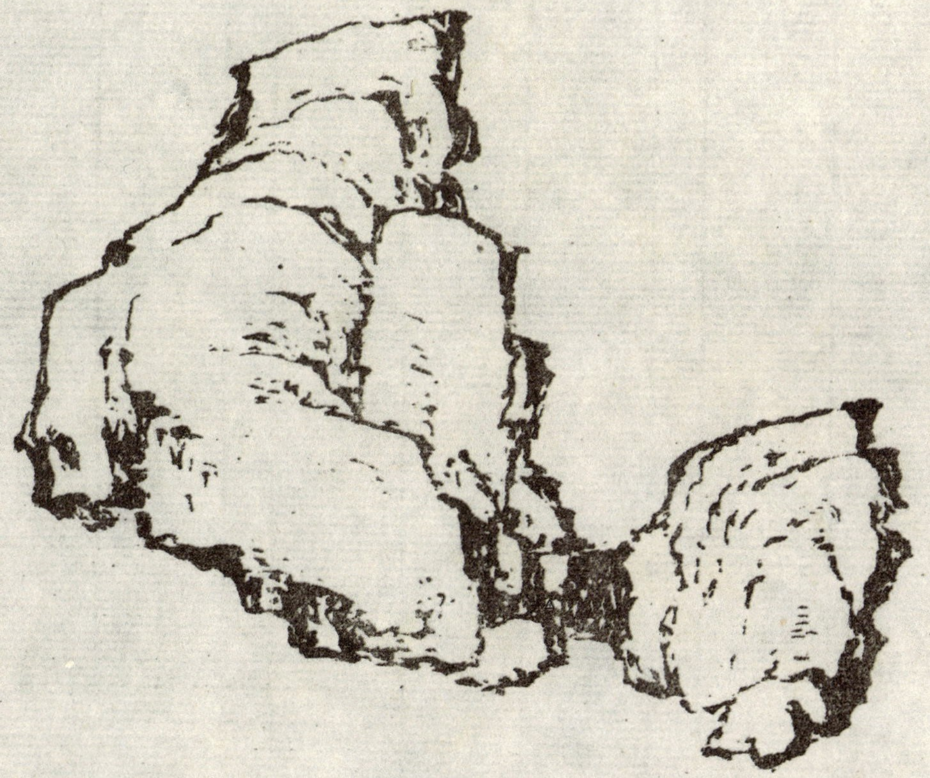

中國傳世畫譜

芥子園畫譜

卷三

一一一

芥子園畫譜

卷三

一二一

小斧劈法
本自劉松年李唐。唐寅學之，深得其奧，周東邨沈田石皆用之。

荷葉皴法 王右丞巒體全以骨法爲主色以青綠

折帶皴法 倪雲林用之

畫山起手法

山之輪廓先定。然後皴之。今人從碎處積爲大山。此最是病。古人運大軸。只三四大分合。所以成章。雖其中細碎處甚多。與皴法不一。要之取勢爲主。元人論米高三家。先得吾心。古人云。有筆有墨。筆墨二字。人多不曉。畫豈無筆墨哉。但有輪廓而無皴法。即謂之無筆。有皴法而無輕重向背。即謂之無墨。然輕重向背。卻又不在皴滿而在輪廓初定之下。如構屋者。欲施榱桷。必先棟梁。棟梁既立。即有巧公輸。不能以榱桷異其承拱矣。

是之謂嶂巒。務期脈絡連接。左右顧盼。即加至千重萬重。不外此法。

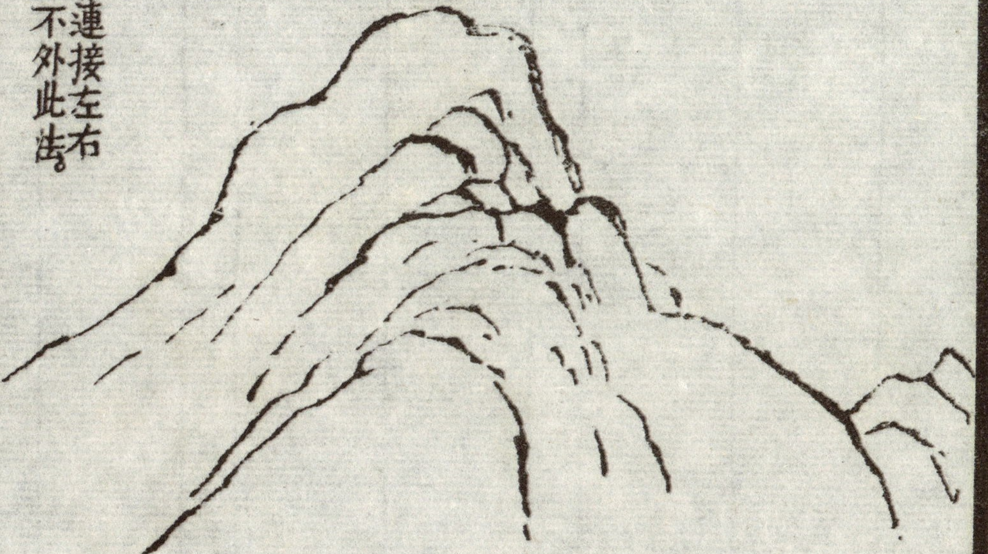

形勢峻拔者謂之峰

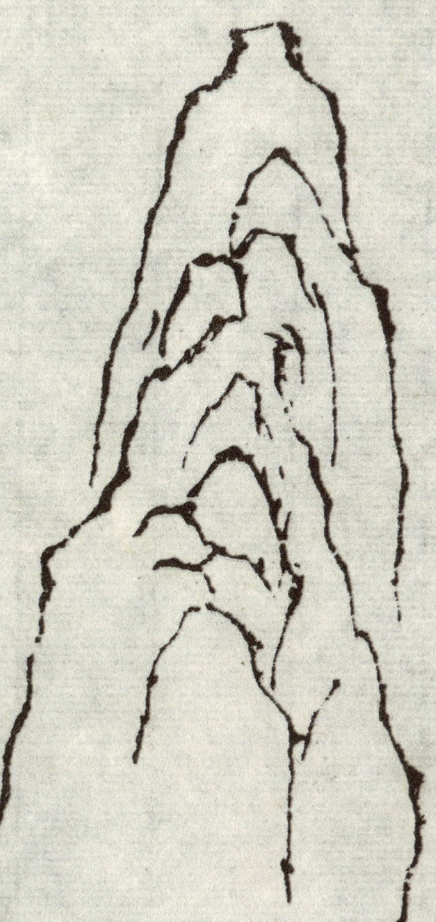

形勢圓轉者謂之巒

開嶂鈎鎖法

凡人百骸未具鼻準先生初下一筆所謂正面山之鼻準是也偏體揣視更重顱骨。結頂一筆所謂嶂葢。山之顱骨是也。此處起伏爲一山之主。而氣脉連絡并爲通幅之一樹一石皆奉爲主又有君相存焉故郭熙謂主山欲聳拔欲蟺蜿。欲軒豁欲渾厚。欲雄豪而精神。欲顧盼而嚴重。上有葢。下有承。前有據。後有倚其法盡之矣。

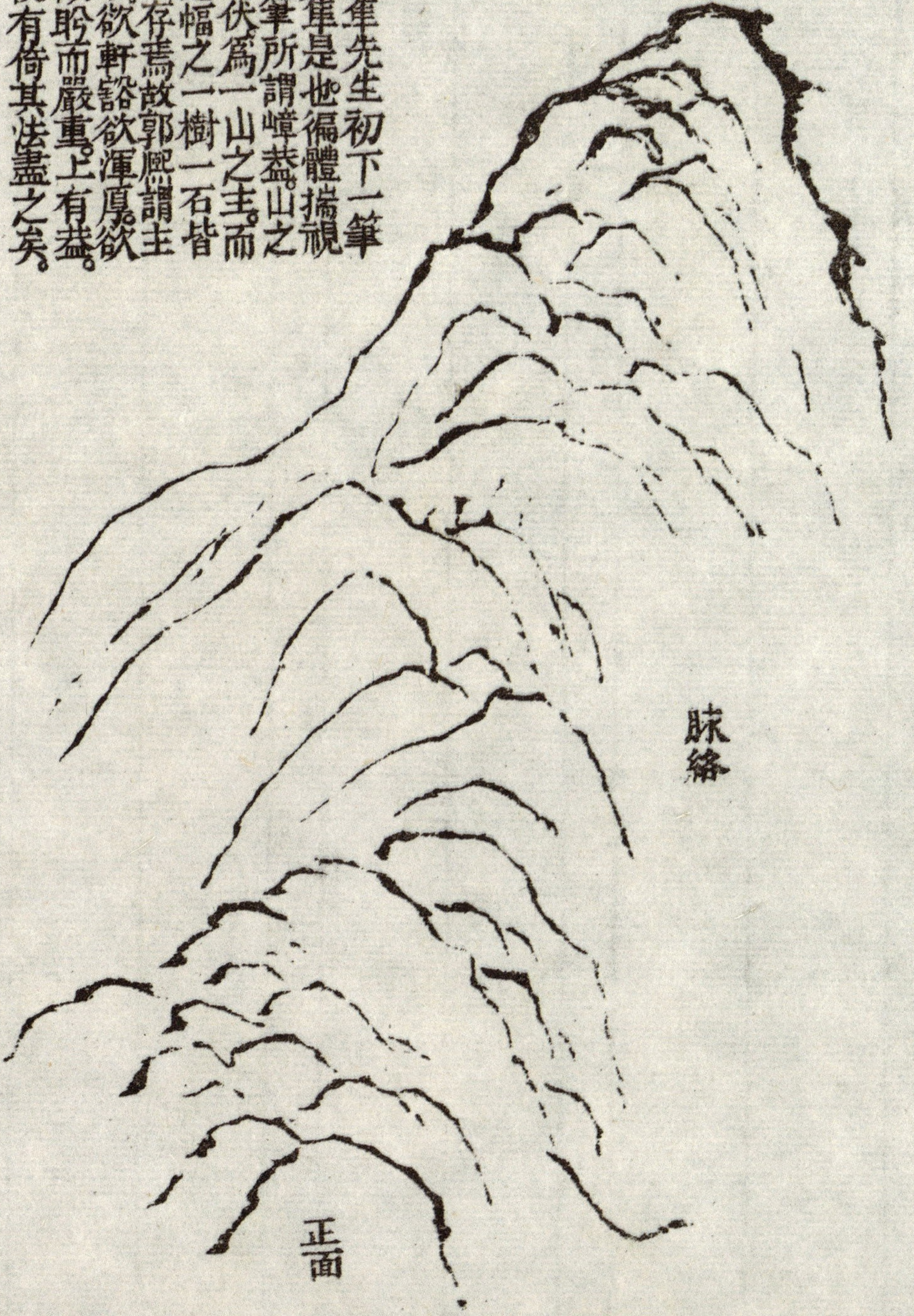

賔主朝揖法

摩詰曰画山先審氣象後辨清濁定主賔之朝揖列群峰之威儀多則亂少則慢。

山有高有下。高者血脉在下。肩股開張基脚壯厚。峦岫環繞映帶不絕此高山也。必如是始謂之不孤不仆。下者血脉在上。其顛平落頂額相攀根基厖大堆阜臃種深插莫測此淺山也。必如是始謂之不薄不泄。因欲使其輪廓分明脉絡井井故不加皴。以便學者觀法其皴法多端。已具見于各大家峦頭石法內。

又賔主朝揖法

主山自爲環抱法

前圖猶藉客峰以成氣象。茲則特舉主山自爲環抱一法以其昂首舒臂衆象包羅。無暇外景画之更爲深鬱所謂直賦本事。無假襯貼者是與前作較。前則大君臨明堂。群侯朝拱此則恭默思道深宮獨處之時焉。王右丞嘗用此画主山。

又主山自爲環抱法

山論三遠法

山有三遠自下而仰其巔曰高遠自前而窺其後曰深遠自近而望及遠曰平遠高遠之勢突兀深遠之意重疊平遠之致冲融。此處皆爲通幅大結若深而不遠則淺平而不遠則近高而不遠則下。凡山水中患此猶之

高遠法

對淺人近習。輿儓皂隸凡下之骨。山中人惟有棄庐抛卷。掩鼻而急走矣。然遠欲其高。當以泉高之雁蕩千尋。匡庐三疊非高遠而何。遠欲其深當以雲深之玉女青迷。明星翠鎖。非深遠而何。遠欲其平。當以烟平之岡明華子。谷冷愚公。非平遠而何。

深遠法

平遠法

又平遠巒頭法

芥子園畫譜 卷三

諸家峦頭分圖

主山之脉絡既知。輪廓素習。則諸家皴法。宜於誰先曰董北苑為集大成其皴法着老。當從此鍊筆。筆既老諸体無難。且學画先恐學壞手。惟此皴法不壞手豈余左其祖耶。

董源

北苑峰峦清深意趣高古。論者謂其水墨似王維。着色如思訓。多用披麻。皴文甚少。用色濃古宋四大家。如子久雲林多師則之。子久晚年雖变其法自成一家。却終不能出其藩籬。

巨然

得北苑正傳筆墨秀潤善爲烟巒少年多礬頭中年則峻拔晩歲則平淺趣高又其峰巒頂實之外及林麓間輒作卵石不可不知

芥子園畫譜 卷三

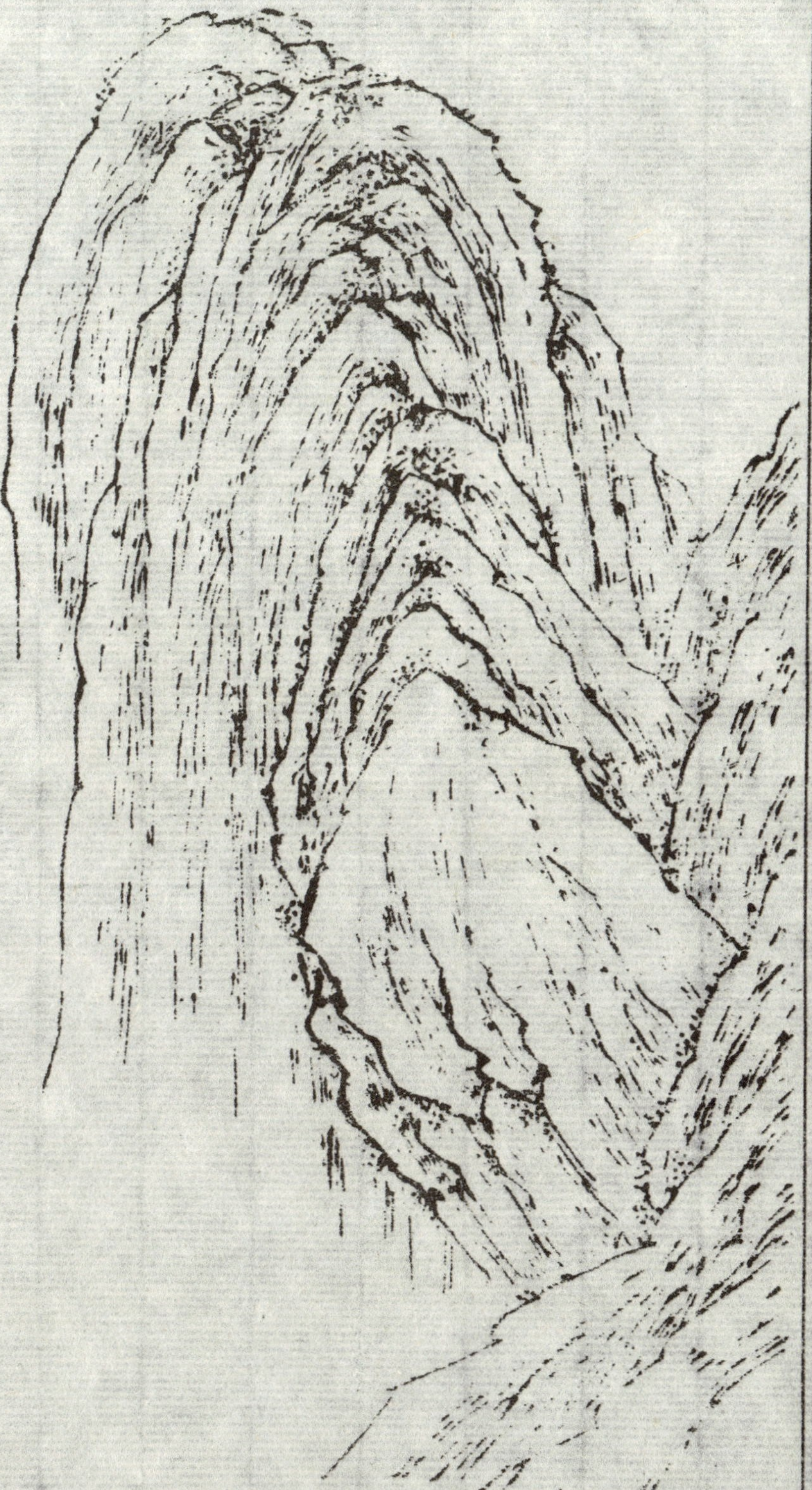

荊浩

洪谷子善爲雲中山頂四面峻厚嘗喻吳道子有筆而無墨項容有墨而無筆今觀其皴真筆是筆却筆筆是墨故關仝北面事之

關仝

仝師浩晚年有出藍之譽。脱略毫楮筆簡而愈壯景少而愈長輪廓皺多玉印叠素雅秀無此也李成師事之郭忠恕亦宗法仝

李成

圖師關仝。烟雲變幻。水石幽閒。險易各盡其妙。議者謂得山之體貌爲古今第一

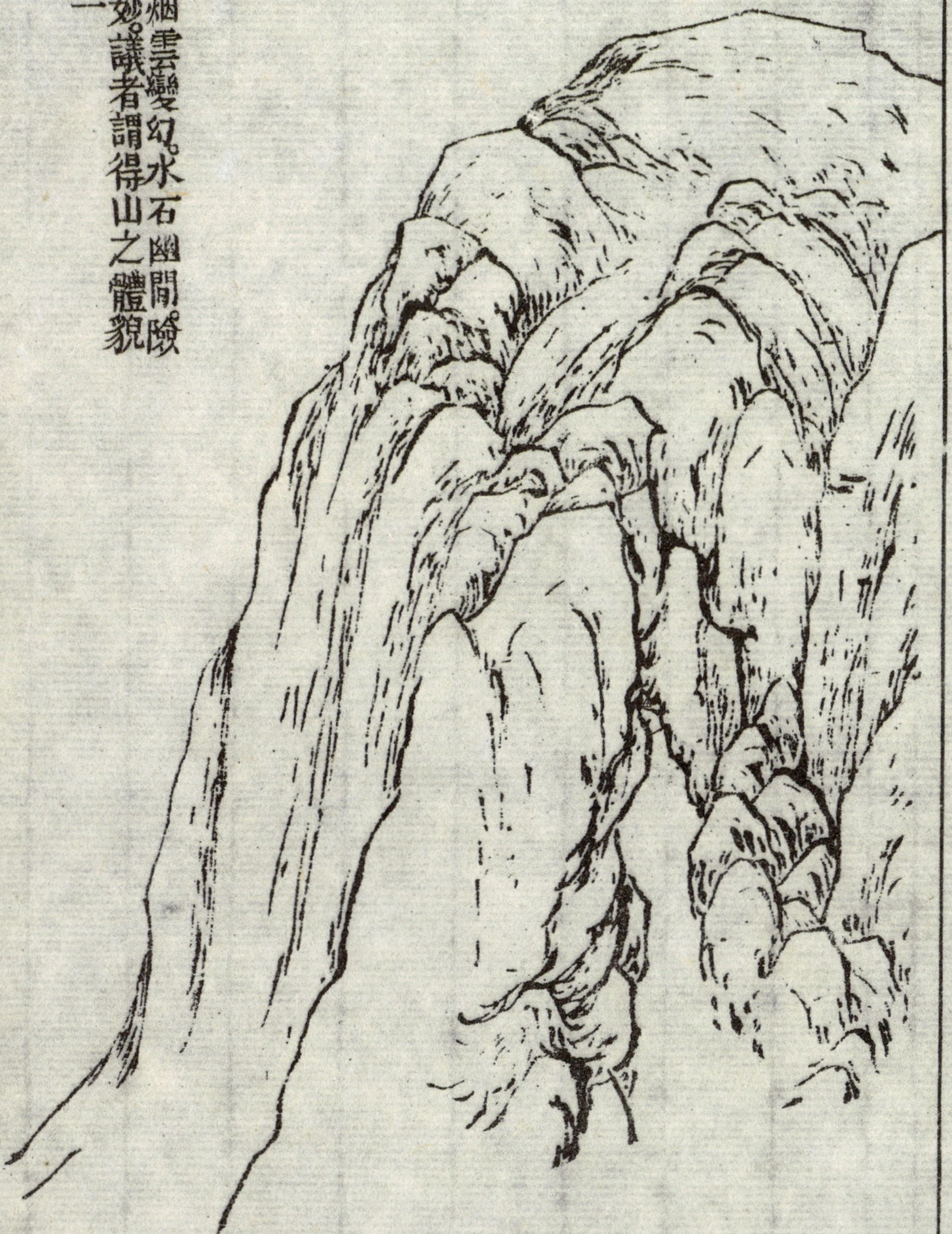

范寬

始師李成。又師荊浩。山頂多用密林。水際好作突兀大石。常嘆曰。師其人。不若師造化。乃卜居終南太華。徧觀奇勝。落筆雄老。眞得山之骨。者名與關仝李成並馳。但晚年用墨太多。土石不分耳。

王維

始用渲淡。一變鉤斫法。文人之畫自右丞始。是爲南宗。其後得其傳者。董巨李成范寬爲嫡子。及荊關張璪畢宏郭忠恕亦師其法。米氏父子王晉卿李龍眠趙松雪皆從巨然得來。直至元四大家。黃王倪吳皆其正傳。明之文沈。則又遥接衣鉢。

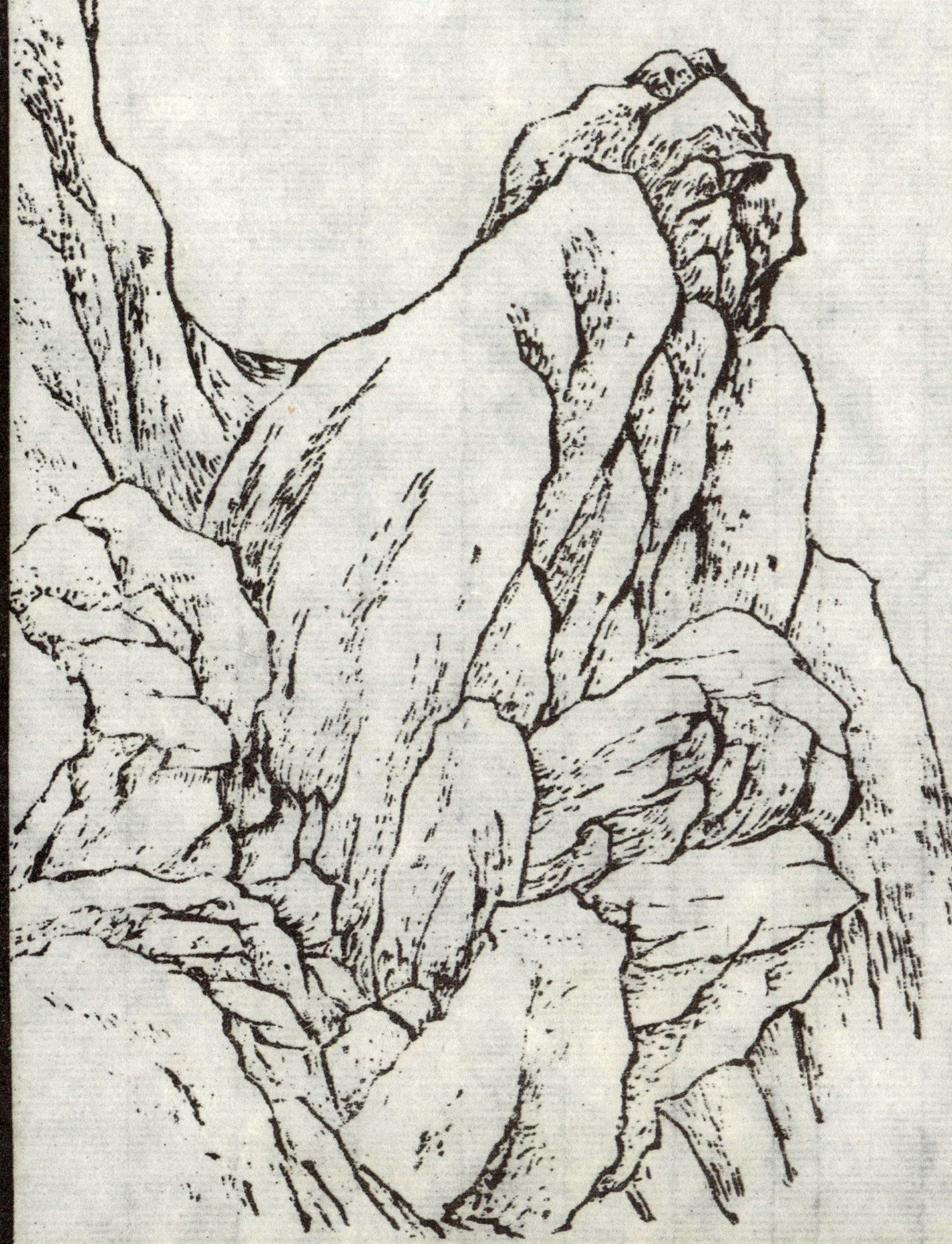

李思訓

小斧劈皴也筆格遒勁是爲北宗號大李將軍善用金碧爲一家法却肉中有骨豐滿中氣勢崚嶒後人着色工画往往宗之。總不能夢見其子昭道稍変其勢看思筆力視爻爲未及却亦足傳號小李將軍。宋趙幹。趙伯駒伯驌馬遠夏圭李唐劉松年皆宗思訓元之丁野夫錢舜舉及仇十洲。俱倣之得其工求得其雅以至戴文進吳小仙張平山日就狐禪北宗之衣鉢塵土矣。

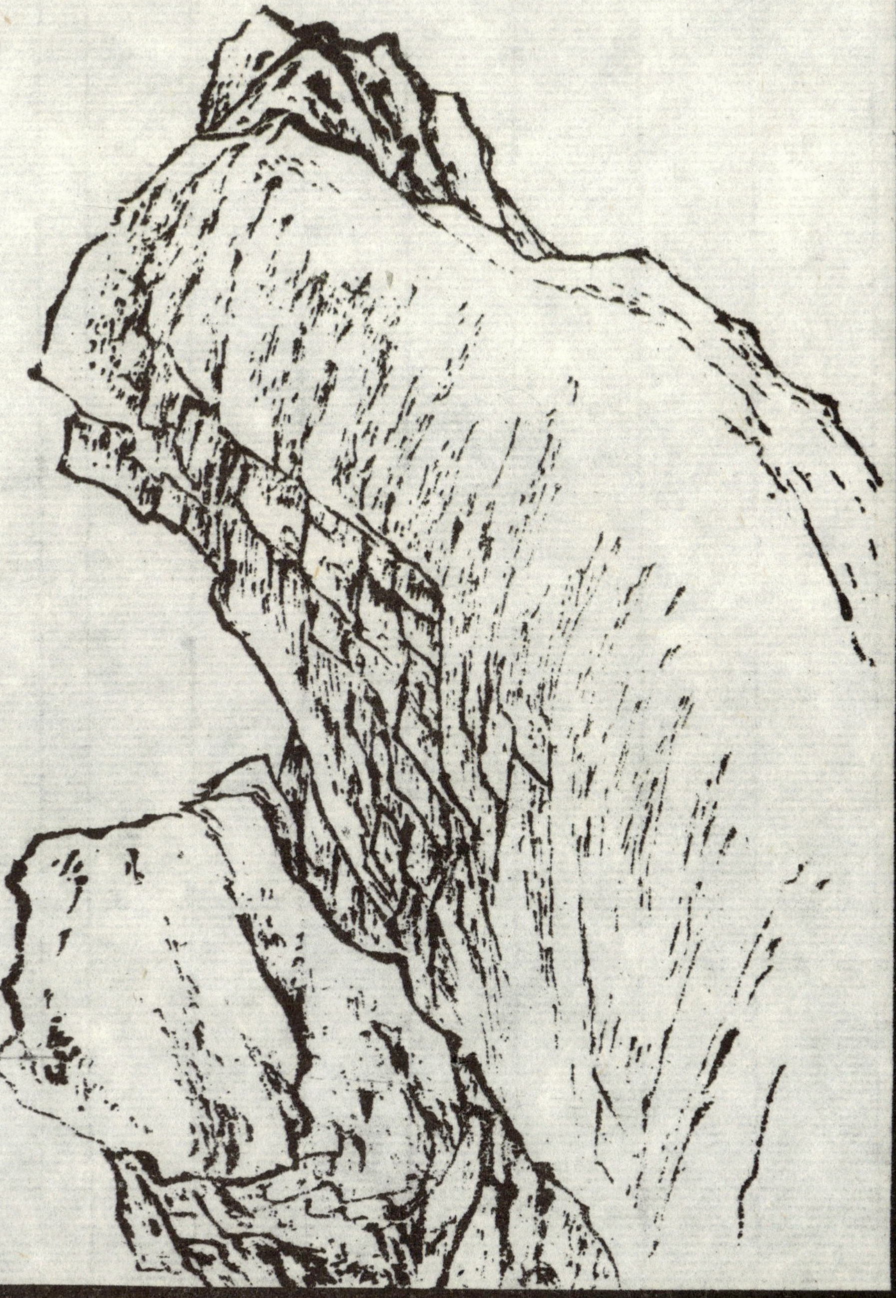

李唐

唐攜思訓之皴而畫筆力以騁之又變小斧劈而爲大斧劈矣宋徽宗云近日李唐可比思訓時號二李。劉松年原師張敦禮。神氣精妙名過于師。後又將二李之大小斧劈而鎔爲一家。

劉松年

松年思張訓禮舊名敦禮避光宗諱故改今名張學李唐今人只知松年之画上追思訓。而不知河源之溯寔是賴乎張。如歐陽修之文無不以爲直接昌黎矣而不知昌黎之未泯者賴有宋初之柳開先永叔而學昌黎以開荒也。

郭熙

山水寒林。宗李成得烟雲隱見之態布置筆法獨步一時早年巧瞻工致晚年落筆亦壯。山輒作雲頭皴骨雄麗古人云夏雲多奇峰天開圖画則熙寔師造物矣元人惟宗董巨曹雲西唐子華姚彥卿朱澤民則宗郭熙。

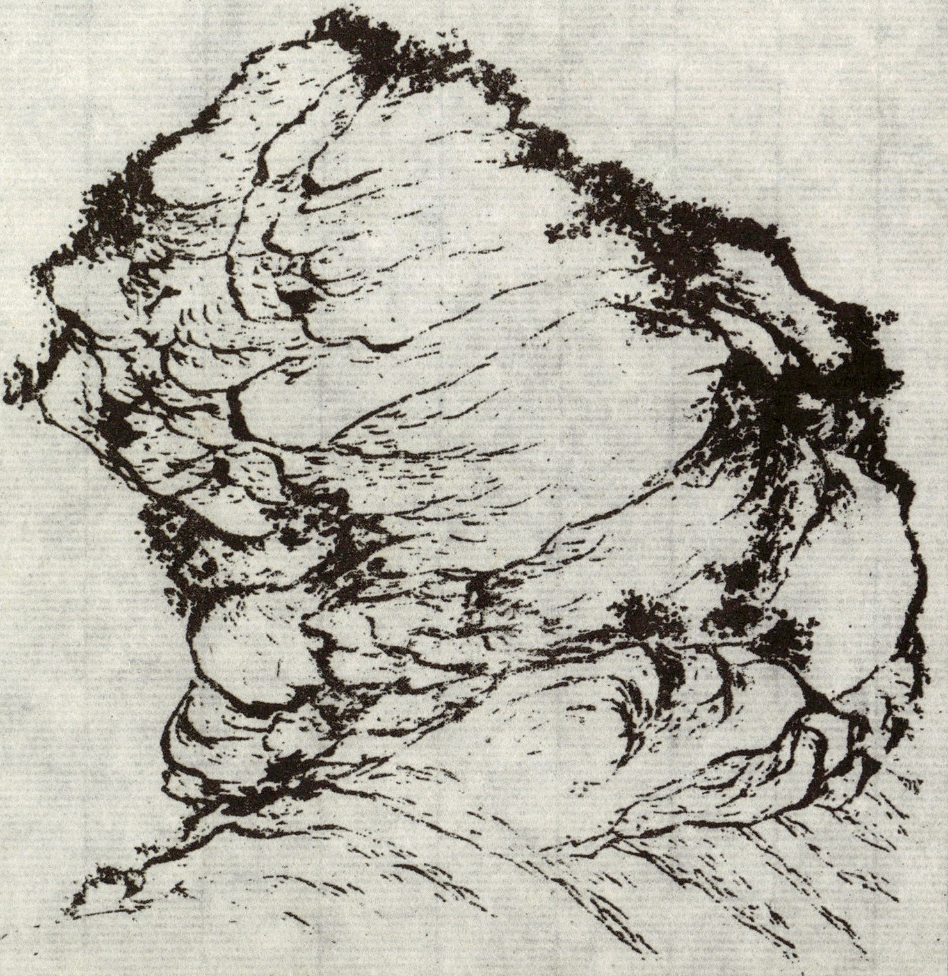

李公麟

集顧陸張吳及諸名家以爲已有作画多不着色論者謂其山水似李思訓瀟洒如王右丞當爲宋画第一。

蕭照

照画得北苑法而皴以道勁過之猶喜爲奇峰怪石望之有波涛汹湧雲屯風捲之勢。

李成

此咸熙巨盧東浙筆意也。書法中所謂瘦硬通神，熙得之矣。

江貫道

師巨然，其皴法稍變。俗呼為泥裡拔釘，以苔輒作長點如錐，亦有一種蒼興處。

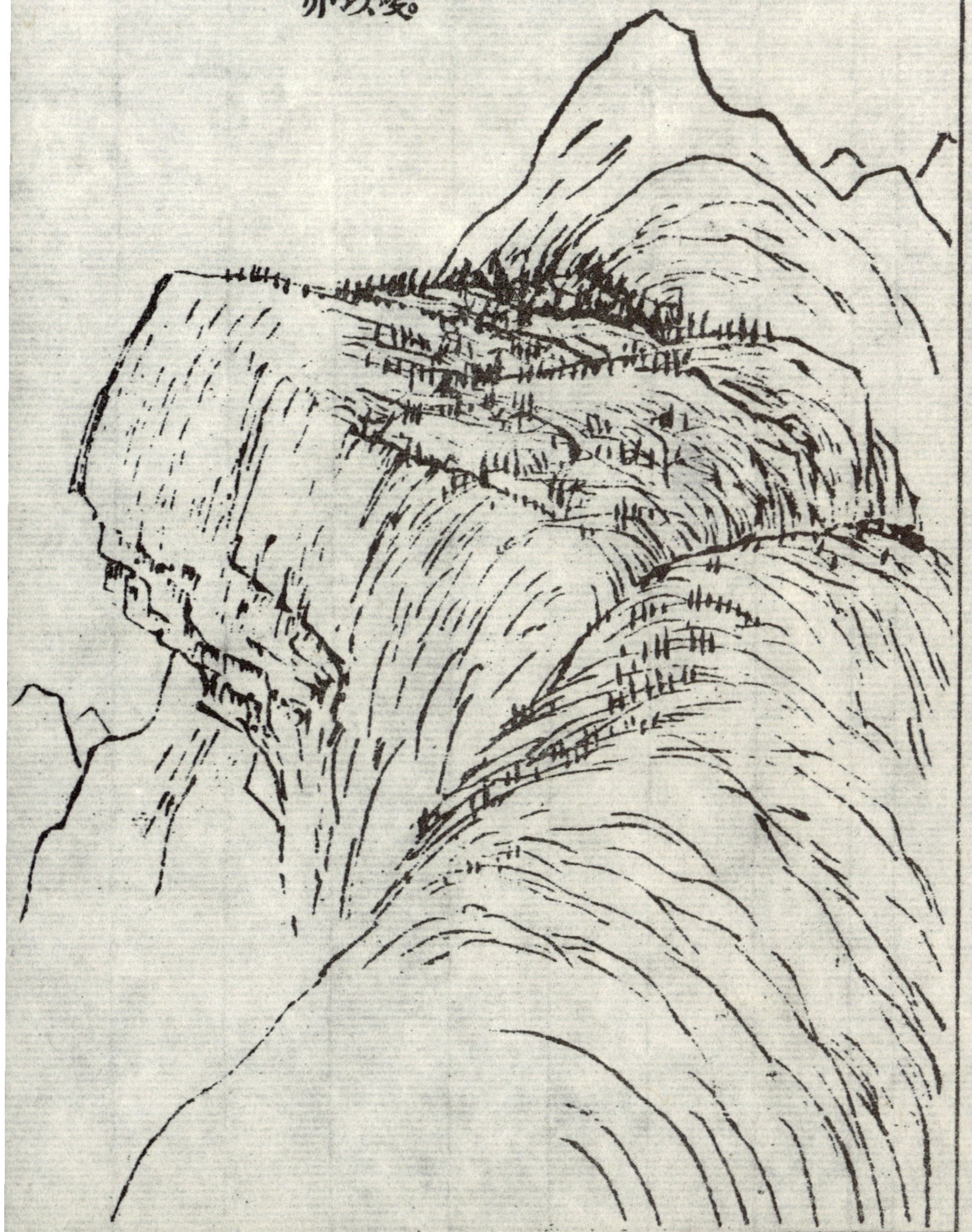

米芾

襄陽用王洽之潑墨參以、破墨積墨焦墨故融厚有味人謂米氏善于用墨而余獨謂其善于用筆。米筆施之書中。時有奴張見于画內惟覺圓厚。圓猶可孰習而成厚則直從天分中出天分薄者學此猶商君之欲冒于叔度顏回。終未可也。大芾雖學王洽。寔發源于北苑。近人學米太模糊。與太明露乃又失之。米明露處。如微雲河漢明星爛然今人則成鉄綿穿豆矣。米模糊處。如神龍矯矯隱見不測。今人則糞草堆壞蕪穢不治矣然則何以學米。曰用筆如錐用墨如飛又曰。惜墨如金。弄筆如丸。筆墨之跡交鎔。乃是真米。

米友仁

二米豈大理石屏風哉何今人之不善學米也。友仁盡變其父之家法。而於烟雲奇幻。縹縹緲纖。若有樓閣層層藏形其內。一洗宋人窠臼猶眉山之于老泉。不得不變然却有不變者在。

倪瓚

倪黃吳王號四大家。子久叔明皆從北苑起祖。圖多側筆。而雲林尤甚。雲林之皴。求盡渾空。簡而益簡。在他家用筆。須濕猶可藏得一二敗筆。雲林則於無筆處。尚有圖在。敗筆總不能藏。且其石廓多作方解體勢。依然關全也。但全用正鋒倪運以側。縱所謂側縱。又非將筆一味橫臥紙上。又非只用穎尖按之無力。乃用筆活甚。故旁見側出。無非鋒鋩。用筆提甚故毫尖雖末煞。有氣力此法最難。非從北

倪高遠山

苑諸家入手。到神化時。將諸家皴法。千陶百鍊。未可到雲林無筆處有畫也。今人凡遇淺近丘壑。輒曰雲林。是雲林爲人所畧而余獨鄭重以詳言之。分其體勢。一爲高遠。一爲平遠。以見高遠中。尚是關仝。平遠中。未離北苑也。

倪平遠山

黄戴石捶坡法

黄公望

子久山似董源能變其法自成大家。頂多巖石却有一種風度。凡作画俱要有凹凸。山之外輪。極力奇峭筆于直中有屈一筆數曲。中則直皴盖獪有勢。此子久家法也今亦舉其峦頭二則。一爲戴石捶坡。土石各半。一爲純石山。當審其地而用之也。

黄純石山法

芥子園畫譜 卷三

王蒙

叔明輒用古篆隸法雜入皴中。如金錯石。鶴嘴劃沙。雖師趙吳興。寔自出鑪冶。尖而不穉。勁而不板。圓而不成毛團。方而不露圭角。其摹唐宋諸家。無不一一遍肯。元季推為第一。大凡學一人不可死在一人範圍。如叔明者。其于諸家直毫髮無遺憾矣。

吴鎮

仲圭山範巨然。率畧中極其高妙。山多頁石。點則攢點。

解索皴

此解索皴也。惟王叔明画之。神采絕倫。叔明于此皴。却雜入披麻及礬頭。下此者習之。未解此法。便如刻板矣。舉之以備一體。

亂麻皴

小姑抖亂麻圖。一時張皇失措。無處下手。尋出頭緒。亦得謂爲皴法乎。曰否否。若網在綱。有條而不紊。學古人皴。全要湊得起。抖得碎。抖得碎。又於碎亂中見有整嚴也。

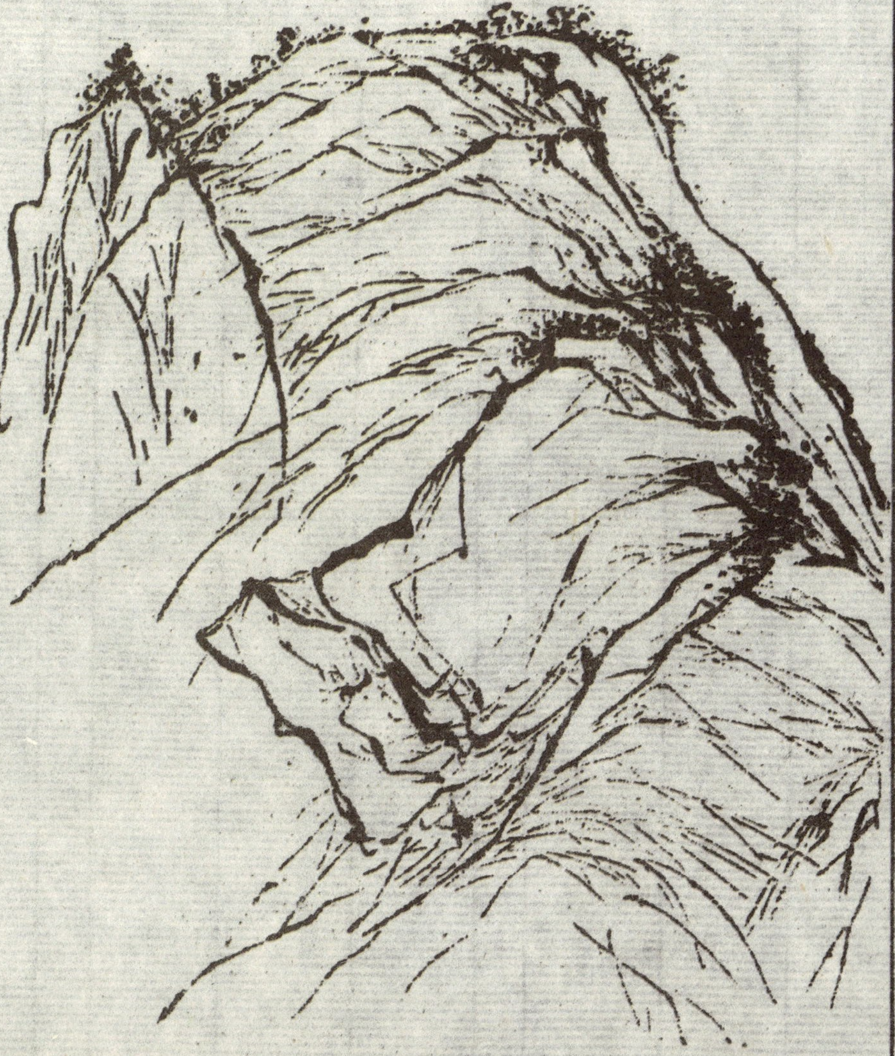

荷葉皴

以其筋筋相屬。如荷葉狀。卽六書中所謂像形是也。北苑每用之近日藍田叔亦喜作此。

亂柴皴

前此一一書名於某人下。系某某皴此則直書某皴不系某人。且于書名方位中。儼然如一人者。亦余書法之變以亂柴亂麻。在皴法中爲變調不得不以變例系之且諸家皆偶一爲之難專屬之一人也。

畫坡法

坡有石坡。有土坡。有土石相雜。坡安置坡處。有上平下廣穩覆如盂者。有上開下合亭立如菌者。有直揷雲表形如象鼻者。形勢不一。而坡面宜如削平。坡側皴宜勾搭續斷。像土石之久經風雪。折剝文理天生。即披麻中。亦宜稍雜入斧劈取峭。坡面如用石綠淡標及草綠。則坡側當用赭石。坡面用赭石中稍加藤黃。號赭黃者。則坡側宜用赭石。或用赭墨。但于邊上用淡赭以分層廓。

黄子久最喜画坡。每于山頭層層相加。筆筆取其生辣。

山坡路逕法

花忘晉魏。尚爾通人室滿蓬蒿猶當開
逕丘壑既已紛綸逕路還宜商酌。大抵
宜委委曲曲或隱或見。不得一味直如
死蛇。折同鋸齒近手儘有佳圖。只因開
逕欠妥。白璧微瑕遂為通幅之累。不必。
故昔人有有好山無好路之語。蓋路即
山之點題處也。幽人韻士。子此棲隱徑
路寔其眉目。使人望而知為有道在焉。

又山坡路徑法

畫山田法

鑿井耕田。山居本分。十字溪頭數重花外。最不可少秧針麥浪。以備粢盛。子昭豳風圖。平疇千里。純以大綠傳絹上。以草綠染出方界。再以草綠細點層層分布中。想見兩岐連穎。山中人無愁枵腹。

畫平田法

柴門臨水稻花香。水田漠漠平遠中用此法最宜。如畫春田。則用石綠或草綠矣。若畫秋田。黃雲甫割稻孫滿瀼。則用赭黃染方界內。田塍及土坡側處則用純赭以別之。

画石磯法

画坡陀法

石壁露頂法

石壁露根法

子久画泉法

画泉各法

石爲山之骨而泉又爲石之骨或曰水性至柔焉得稱骨余曰排山穿石力撼巨靈莫剛于水故焦贛稱有水生骨之語且細而流飛沫濺巨而河潤海涵淸與滴何莫非天地之血與髓血所以胚胎骨者髓又所以滋養骨者骨無髓則爲枯骨骨而枯與土壤等即不得謂之骨是山之爲骨水寔成之故古人畫泉甚爲審顧鄭重致有五日一水之語今以泉法分圖各見而先之以子久全体俱露之泉一條貫被清山陡峭處又安得不謂之骨。

亂石叠泉法

亂石叠泉欲使其磈磈有聲須將泉力向石之虛處致亂處積

垂石隱泉法

摩詰謂画泉欲其斷而不斷。所謂斷而不斷者。必須筆斷氣不斷形斷意不斷若神龍雲隱首尾相連。

雲流泉斷法

画泉古人多用雲鎖然画雲時不可露出筆墨痕跡但以顔色輕輕漬出方爲妙手。

山口分泉法

懸崖掛泉法

画泉三叠法

中國傳世畫譜

芥子園畫譜

卷三

八一

画泉兩叠法

画細泉法

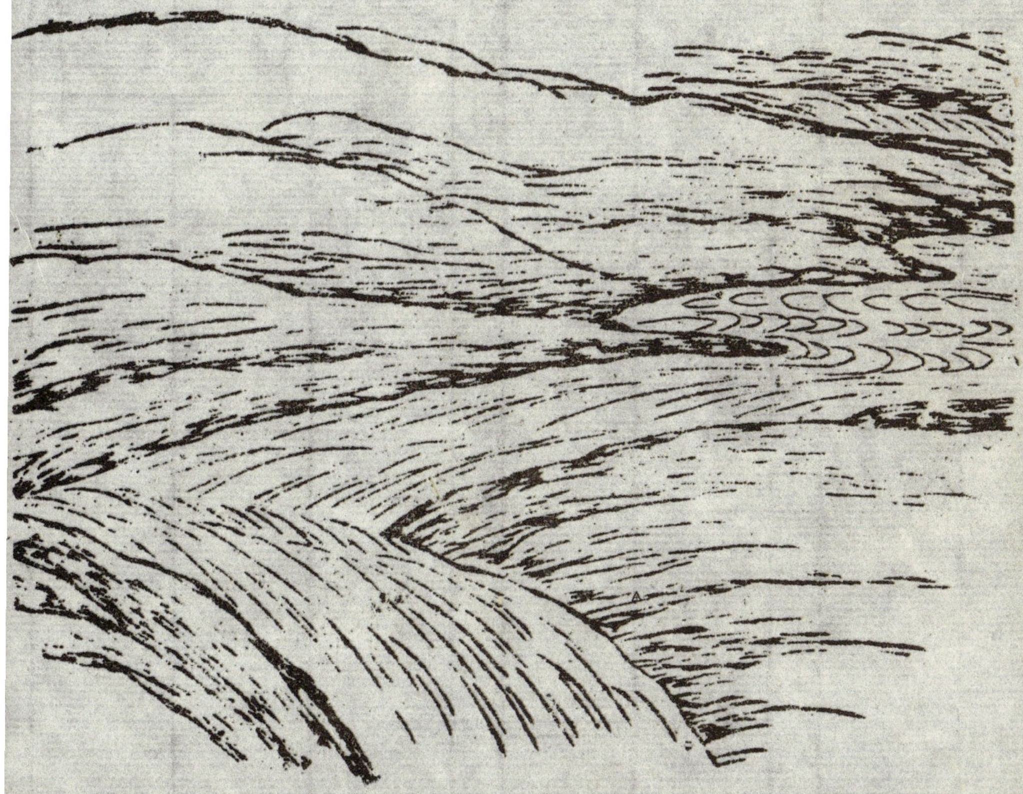
画平泉法

画大瀑布法

芥子園畫譜 卷三

画石梁垂瀑布法

画江海波濤法

山有奇峰。水亦有奇峰。石尤怒捲巨浪排山。海月初溶潮如白馬。是時滿目皆多崇岡峻嶺。異道立画水終夜有聲不惟画水。且善画風曹仁希萬流曲折。一絲不亂不惟画風而且能画不假於風之層波叠浪画水之能事畢矣。

画溪澗漣漪法

山有平遠。水亦有平遠。風恬浪靜。雲去月來。烟光淼瀰。目不可極。大而江海。小而溪沼。一時寒肅無聲。水之本體見矣。

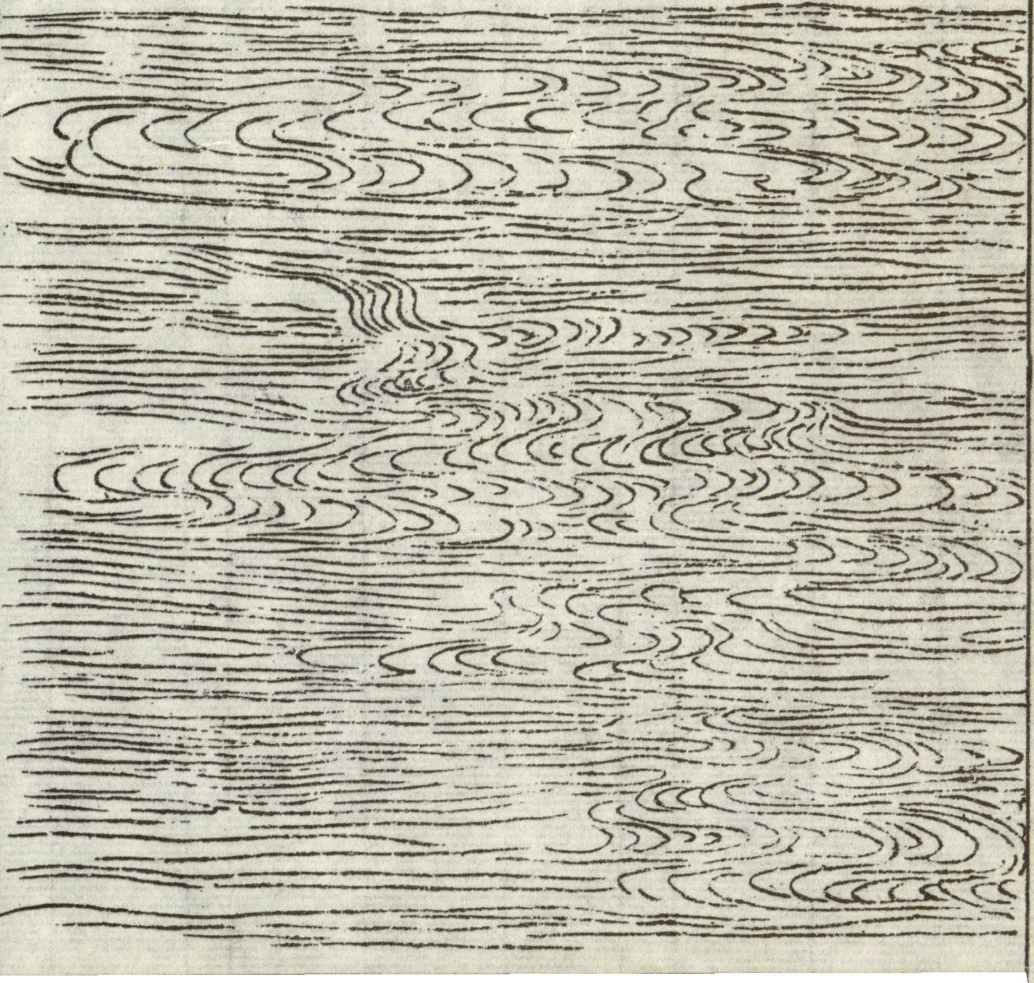

細勾雲法

雲乃天地之大文章。山川被錦繡疾若奔馬撞石有聲雲之氣勢如是。大凡古人画雲秘法有二。一以山水之千巖萬壑相湊太怳處乃以雲間之。蒼翠掃天倏而白練橫拖眉眉鎖斷。上頭雲髻青再露如文家所謂怳裡偷閒乃使閱者目迷五色。一以山水之一丘一壑著意太閒處乃以雲怳之。水盡山窮寸斯起陡如大海紛作層瀾如。文家所謂用詩讀答以增文勢。余画山水諸法而殿之以雲者亦以古人謂雲乃山川之總亦以見虛無浩渺中。藏有無限山皴水法故山曰雲山水曰雲水

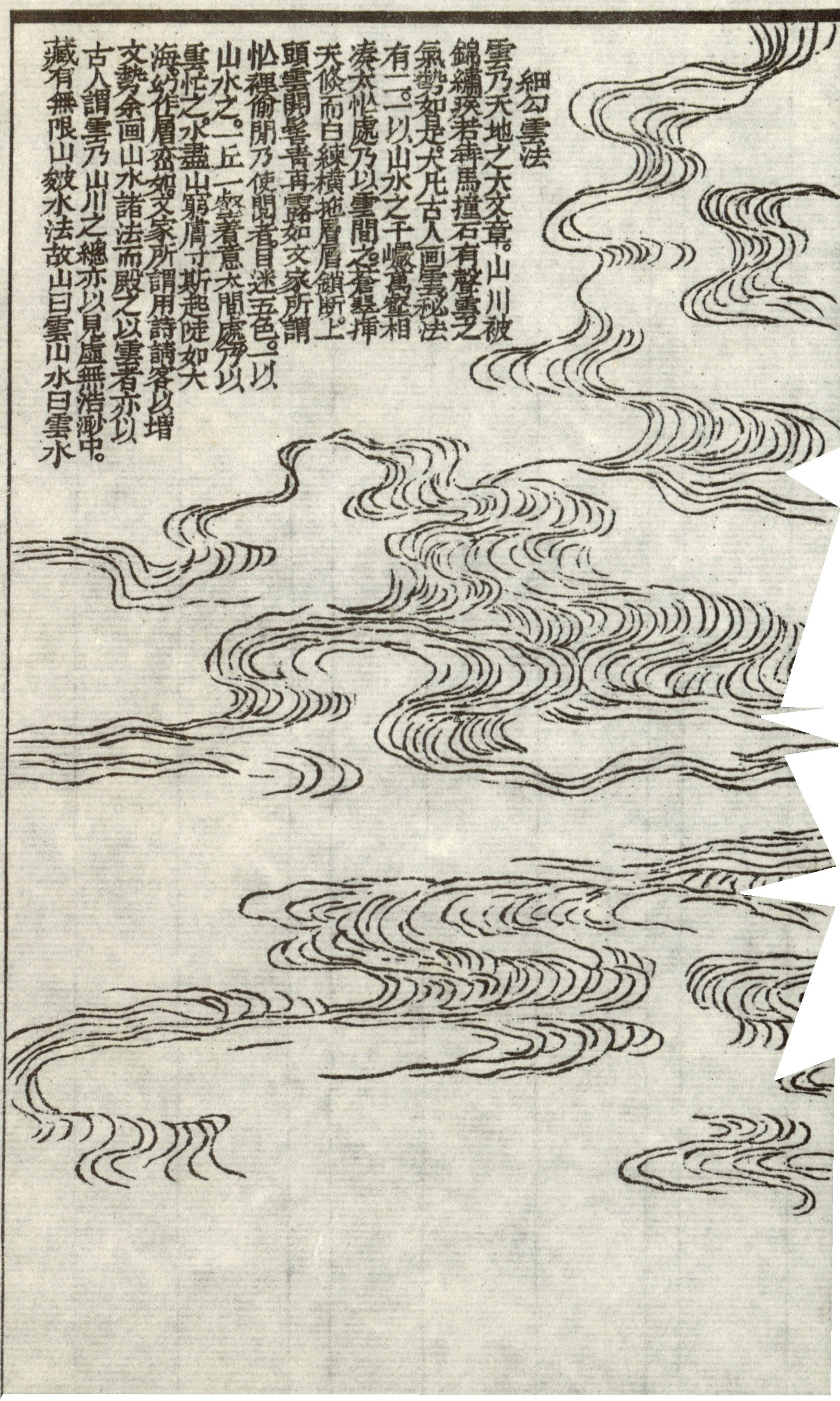

画雲純用色漬筆若推起定無墨痕者爲上。若画青綠山水及工細皴法欲其相稱當以淡墨勾出淡青染之。又唐人画雲有二種。一爲吹雲法乃將薄粉輕染絹上勢若層雲隨風流動輕倩可人最爲雅調。一爲勾粉法于金碧山水中將粉照墨痕細勾。小李將軍多用此法氣勢雄壯。亦助輝煌。

大勾雲法